FOLIO CADET

Maquette : Marie Leonetti

Ce texte a paru pour la première fois à l'École des Loisirs sous le titre :
La visite de l'écrivain

ISBN : 978-2-07-053624-5
© Éditions Gallimard Jeunesse, 2002, pour la présente édition
et les illustrations
N° d'édition : 175083
Loi n° 49-956 du 16 juillet 1949 sur les publications destinées à la jeunesse
Premier dépôt légal : septembre 2002
Dépôt légal : février 2010
Imprimé en Espagne par Novoprint (Barcelone)

Jean-Philippe Arrou-Vignod

L'invité
des CE2

illustré par Estelle Meyrand

GALLIMARD JEUNESSE

Pour Camille et Aurélien

— Il ne viendra pas, a dit Maxime.

— Il a promis, a dit Lucas.

Moi, j'ai pensé que s'il ne venait pas, j'avais mis mes chaussures de ville pour rien.

— Pas question de porter tes vieilles baskets, avait décrété mon père. Ce n'est pas tous les jours qu'on reçoit un écrivain.

On avait déjà eu d'autres visites en classe, et chaque fois on avait été déçus. Nous, on aurait aimé rencontrer des astronautes, des présentateurs de jeux télévisés ou un pilote de course, des gens qui ont un métier intéressant. Mais la maîtresse ne doit pas avoir la télé. Elle n'aime que les métiers saugrenus. On a eu comme ça un souffleur de verre, un fabricant d'accordéons et aussi le dentiste du quartier, qui nous a apporté des échantillons de dentifrice et a dit qu'on aurait les dents noires si on ne les lavait pas douze fois par jour.

Aussi, quand la maîtresse a dit : « J'ai une merveilleuse surprise pour vous », on a cru que c'était Zidane qui allait venir en classe.

Elle a dit d'un air pincé qu'on ne comprenait rien décidément, que c'était donner des perles à des cochons que d'inviter un écrivain.

– C'est vrai, a dit Lucas, j'aurais préféré un footballeur.

Moi, j'étais assez d'accord. Au moins, j'aurais pu garder mes baskets.

En classe, on est tous nuls en orthographe, sauf Maxime, et c'était le seul content de rencontrer un écrivain. Est-ce qu'il allait parler en vers comme dans les récitations ?

– Je compte sur vous, a dit la maîtresse. Pas de questions idiotes ni de chahut comme la dernière fois…

La dernière fois, c'était un peintre qui était venu. La maîtresse était devenue cramoisie quand Lucas lui avait demandé pourquoi il peignait toujours des couchers de soleil et des bouquets de fleurs au lieu de faire, par exemple, des

hélicoptères de combat ou la voiture de Terminator 2.

Pour l'écrivain, la maîtresse a voulu qu'on prépare les questions à l'avance.

– Je vous préviens, elle a dit. Deux cents lignes au premier qui lui demande combien il gagne ou si sa grand-mère fait du vélo… C'est compris, monsieur Henri ?

Henri, c'est Riton, le comique de la

classe. Il a toujours du poil à gratter dans les poches et des araignées dégoûtantes qu'il met dans le cou des filles.

– Vous allez voir, il nous a dit. J'ai une surprise pour l'écrivain.

On n'a pas pu en savoir plus parce que la cloche sonnait.

Mais ce qui était sûr, c'est qu'on allait bien rigoler.

A vrai dire, on était assez impatients. Depuis qu'on avait reçu sa lettre, on se demandait tous quelle tête il pouvait bien avoir. Les écrivains, ce n'est pas comme les chanteurs. Ils n'ont pas leur photo sur la couverture, alors on peut seulement imaginer.

La veille, en expression écrite, la maîtresse nous avait demandé de faire son portrait. Certains disaient qu'il avait les cheveux blancs, qu'il habitait la campagne et qu'il fumait toujours la pipe. D'autres qu'il n'avait pas d'enfants, qu'il avait juste un chien et des bouquins qui montaient jusqu'au plafond. Que c'était un monsieur ronchon, un

rêveur qui oubliait partout ses clefs, qu'il ne faisait pas de sport et qu'il n'avait pas la télé…

Moi, je le voyais plutôt comme les personnages de son histoire : une drôle de tête carrée comme celle d'un robot, avec des manettes de commande à la place des yeux et des ressorts qui dépassent.

Quand il est arrivé pourtant, on a vite compris qu'on s'était tous trompés.

— Les enfants, a dit le directeur, je vous présente M. Beloiseau.

Le directeur avait mis une cravate, comme le jour des bulletins, et on s'est levés tous ensemble en se retenant de rire.

Derrière lui, il y avait un monsieur minuscule, avec de grandes oreilles très rouges et les cheveux hérissés sur le crâne. Est-ce que c'était notre écrivain ?

Il ne ressemblait pas du tout à ce qu'on avait imaginé : on l'aurait plutôt vu dans un film comique, avec son écharpe autour du cou, sa veste trop grande et ses pantalons de velours qui pochaient aux genoux.

— Visez la taupe ! a soufflé Riton, et on a tous eu du mal à ne pas éclater.

— C'est une classe de CE 2, a expliqué le directeur. Ils ont lu votre dernier livre et brûlent de vous poser des questions.

Puis il est allé s'asseoir au fond de la classe, laissant l'écrivain cligner des yeux et se tordre les doigts comme si on l'avait abandonné tout nu dans une cage aux lions.

– Bonjour à tous, il a dit en regardant autour de lui. Je n'ai plus vu de CE 2 depuis mes années d'école. Est-ce que vous savez vraiment faire des divisions à retenue ?

Il s'est gratté la tête, contemplant d'un air ahuri l'opération qui était au tableau. Puis il a pris une craie, a compté sur ses doigts deux fois de suite, s'est gratté à nouveau la tête avant de reposer la craie dans la rainure.

– Tant pis ! il a dit. Je ne comprendrai jamais rien aux mathématiques. Mais je ne suis pas là pour ça… Qui veut poser la première question ?

Il y a eu un silence de mort, puis on a entendu une sorte de MEUHHH ! qui s'élevait du fond de la classe. C'était la surprise de Riton…

– Qu'est-ce que c'est ? a dit le direc-

teur qui commençait à papilloter des
yeux.

– Henri ! A la porte, immédiatement !
a hurlé la maîtresse.

C'est M. Beloiseau qui a sauvé la
situation.

– Un instant, il a dit. Ai-je bien
entendu ? Ne serait-ce pas… Approche,
mon garçon, approche…

Riton a dû se lever,
écarlate, sa surprise
à la main.

— Formidable ! a dit M. Beloiseau. Une boîte à camembert musicale !

Il l'a retournée à son tour, produisant un nouveau meuglement de vache.

— Merci, mon garçon, a continué M. Beloiseau. Tu ne pouvais me faire plus plaisir…

— Vous comprenez, a-t-il expliqué à la maîtresse, mon premier livre s'appelle *La boîte à camembert qui tue*. Ce garçon s'en est souvenu ! Foi d'animal, vous avez là un fier lecteur !

La maîtresse ne savait pas quoi dire. Quant à Riton, il est retourné s'asseoir à sa place, les joues écarlates, et on ne l'a plus entendu durant toute l'heure.

— Une autre question ? a demandé M. Beloiseau.

Cette fois, c'est Élise qui s'est jetée à l'eau.

– Est-ce que vous signez vos livres de votre vrai nom ?

Il a souri.

– Non. Beloiseau est un nom de plume. Amusant, non ? En vérité, je m'appelle Legenou. Évariste Legenou. Beloiseau fait plus écrivain, vous ne trouvez pas ?

Nous, on ne trouvait pas, mais on n'a pas osé le lui dire.

– Et comment êtes-vous devenu écrivain ? a demandé Maxime. Est-ce qu'il faut faire de longues études ?

– Heureusement non ! s'est écrié M. Beloiseau. Je vais vous faire un aveu : à votre âge, je n'aimais pas du tout l'école. A part le vocabulaire, bien sûr, et l'expression écrite. J'adorais lire aussi, comme vous.

– Est-ce que vous aviez de bonnes notes ? a demandé Lucas.

Lucas est le plus nul de la classe.
M. Beloiseau a dû le sentir car il a dit :

— Oh ! non… Je crois que la maîtresse
n'appréciait pas beaucoup mon imagination. Je me souviens d'une rédaction
dont j'étais très fier : elle racontait l'histoire d'un spaghetti au ketchup qui
s'évadait de son assiette. Toute la
famille se mettait à quatre pattes pour le
poursuivre sous les meubles. J'ai dû
avoir deux sur vingt. Peut-être que mon
institutrice n'aimait pas les nouilles…
Mais tu vois, il a ajouté, ça ne m'a pas
empêché de devenir écrivain.

Tout le monde a ri, sauf la maîtresse.

— Et vous avez écrit beaucoup de
livres ? j'ai demandé.

— Une dizaine en tout.

Nous, on n'avait lu que le dernier. Ça
s'appelait *Frankfurt, la saucisse de*

l'espace. C'était l'histoire d'un savant transformé en saucisse par une erreur de manipulation de déchets radioactifs et qui traversait l'espace dans une fusée interplanétaire à la poursuite des Zglorgs. Dans l'hyperespace, son vaisseau spatial entrait en collision avec une nébuleuse géante et il manquait d'être avalé par un monstre gélatineux, maître de la galaxie, qui passait ses journées à manger de la choucroute sous vide.

— Une question que se sont posée les enfants, intervint la maîtresse : est-ce que vous vous mettez dans la peau de vos personnages ?

— Bien sûr, a dit M. Beloiseau. Tous les écrivains le font.

Il était debout sur l'estrade, faisant de grands gestes et, durant un instant, on aurait dit que M. Beloiseau venait de se transformer en Zglorg : ses vieilles chaussures montantes ressemblaient à des semelles anti-gravité, ses cheveux se dressaient sur sa tête comme s'il venait de traverser une tempête de molécules.

— Vous vous êtes mis aussi dans la peau de la saucisse ? a demandé Sabrina incrédule.

– C'est ce qui a été le plus difficile dans ce livre, il a dit, reprenant son apparence ordinaire. Que peut ressentir une saucisse perdue à des années-lumière de toute terre habitée ?

– Vous devez avoir beaucoup d'imagination, a dit Lisa.

– Oh, pour les Zglorgs, c'était plus simple. J'ai pensé à mon neveu Lucien. Quelquefois, j'aimerais avoir un fusil à protons pour le désintégrer… Vous vous souvenez de la scène où le chat du savant se retrouve enfermé dans un accélérateur de particules ? Eh bien, c'est ce qui est arrivé au mien quand ce petit voyou de Lucien l'a mis dans la machine à laver le linge de ma sœur. Vous voyez, je n'ai rien inventé.

Il allait continuer quand il s'est arrêté net.

– Mais que vois-je là-bas ? s'est-il
exclamé.

Le directeur qui somnolait à la table du
fond s'est éveillé en sursaut. M. Beloiseau a fouillé dans ses poches, en a tiré
un bouchon, une pelote de ficelle, un
vieux mouchoir d'où pleuvait du tabac. A
la fin, il a sorti des lunettes aux branches
toutes tordues, les a chaussées et a rem-
poché le reste avant de se diriger en clo-
pinant vers les plantations de la fenêtre.

– Qu'est-ce que vous cultivez donc
ici ? a-t-il demandé en se penchant sur
un bac pour en étudier soigneusement le
contenu.

– Ce sont des lentilles, a expliqué la
maîtresse. Un peu de coton et d'eau, et
ça pousse très facilement.

– Tss tss tss ! a fait M. Beloiseau en
hochant la tête. Pardon de vous contre-

dire, chère madame, mais si je ne m'abuse, il s'agit là plutôt d'une espèce rarissime de Protozoère Stellaris.

Tout le monde s'est approché, fourrant avec lui le nez dans les bacs.

– Oui, oui, c'est bien ça… Protozoère Stellaris… Excessivement rare… On n'en trouve à ma connaissance que dans les régions situées au-delà de l'anneau de Saturne. Saviez-vous, les enfants, que la

dernière personne à en avoir ramené un plant de l'espace est le fameux professeur Commodore, de la faculté de Limoges ? A l'état adulte, cette plante donne une variété de bananes violettes, délicieuses au goût bien qu'un peu salées pour nos habitudes de terriens. Je n'en avais encore jamais vu cultivée en classe.

On ouvrait tous des yeux ronds, plutôt fiers de voir un écrivain admirer notre classe. Quand on s'est rassis, ça a été un déluge de questions. Est-ce que M. Beloiseau aimait les animaux ? Est-ce qu'il était marié ? Est-ce qu'il avait des enfants ?

On aurait voulu tout savoir sur lui.

— Je suis un vieux garçon, il a dit. J'habite seul avec mon chat. Les écrivains adorent les chats parce que ce sont des animaux silencieux. Le mien s'appelle Cornélius Mitsurato et c'est un chat savant : le seul chat du monde, je crois, qui sait faire le poirier et qui mange des cornichons.

— Cornélius Mitsurato ? j'ai répété. Drôle de nom pour un chat…

— C'est un pseudonyme, il a dit.

— Et vous n'avez jamais écrit de livres sur les animaux ? a demandé Élise.

— Mon chat est très jaloux. Il ne sup-

porte pas que je parle d'une autre bête
que lui. Depuis que j'ai commencé mon
nouveau livre, il ne m'adresse plus la
parole.

— Mais les chats ne parlent pas ! a rigolé Lucas.

— Le mien si, a dit M. Beloiseau avec conviction. C'est un siamois : les Orientaux ont toujours eu beaucoup plus de facilité que nous pour les langues. Mais peut-être avez-vous raison. Peut-être que je me trompe, que Cornélius ne parle pas, qu'il fait seulement semblant pour se rendre intéressant… Il faudra que je le lui demande.

Il avait l'air si déçu pour son chat qu'on s'est dépêchés de changer de sujet.

— Avec quoi écrivez-vous ? a demandé Jérôme.

— Avec un stylo, un bête stylo tout simple. D'ailleurs, je dois l'avoir sur moi. Attendez une seconde…

Il a sorti de sa poche un énorme stylo-

plume au capuchon tout cabossé qu'il a
fait passer de main en main avant d'ex-
pliquer :

– Sur mon bureau, j'ai une petite bouteille. De loin, on dirait un encrier, mais
c'est une bouteille à mots. Chaque soir,
j'en remplis le réservoir de mon stylo.
Je n'ai plus ensuite qu'à promener la
plume sur le papier et les mots viennent
s'y ranger tout seuls, comme de bons
petits soldats.

– Vous ne faites jamais de brouillons ?
a demandé Maxime.

– Bien sûr que si ! Certains mots ont
mauvais caractère. Ils se font tirer
l'oreille pour sortir. Il faut les poursuivre
dans le dictionnaire, ou bien on les a
sur le bout de la langue, comme un petit
crabe qui vous pince l'orteil sans qu'on
puisse lui faire lâcher prise. D'autres

fois, ils font exprès surgir plein de fautes
d'orthographe pour qu'on ne les recon-
naisse pas. Ça ne vous arrive jamais, à
vous, quand vous faites une rédaction ?

— Mais vous êtes écrivain, c'est votre
métier, a dit Lucas.

— Justement, a dit M. Beloiseau. Quelquefois les mots se vengent, comme les

lions avec le dompteur. Ils refusent de sauter à travers le cerceau, ils crachent et montrent les dents. Un jour, j'ai essayé d'écrire avec un ordinateur. J'avais l'impression de piloter une soucoupe volante. Les mots venaient à toute vitesse sur l'écran comme une pluie de

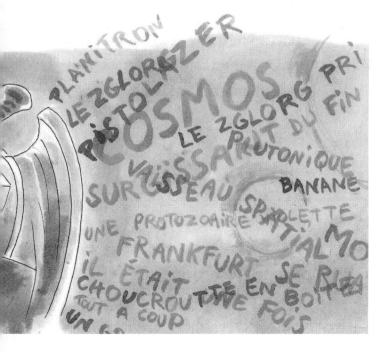

météorites. Et puis, quand j'ai rallumé la machine le lendemain, pfuitt ! plus rien… L'écran était vide. Les mots s'étaient enfuis. Ils avaient profité de ma distraction pour reprendre leur liberté.

— Un de ces jours, il a ajouté, il faudra que j'envoie un de mes personnages à leur recherche. Ils doivent se balader quelque part dans l'espace. Une bonne fusée, un filet à papillons, et je les obligerai bien à revenir à la maison !

— Et vous écrivez un nouveau livre en ce moment ? a demandé Alexandre.

C'était la dernière question qu'on avait préparée. Tout le monde a paru surpris : le temps avait passé si vite.

— Je suis bloqué, a dit M. Beloiseau. J'ai commencé une histoire qui s'appelle *Évariste et les ouistitis*. Depuis un mois, Évariste est pendu par un pied à un baobab géant. Impossible de trouver comment l'en faire descendre.

– On ne pourra jamais la lire, alors ? a dit Maxime avec regret.

– Désolé, les enfants, a dit l'écrivain devant notre air navré. Je suis en panne. J'ai beau me mettre à mon bureau tous les soirs, je ne trouve pas la suite. Rien, pas un mot... Je sèche. Vous pouvez imaginer l'œil ironique de Cornélius Mitsurato, couché sur la page blanche et agitant sa queue !

– Que se passera-t-il si vous n'arrivez plus à écrire ? s'est inquiétée Élise. Vous ne serez plus écrivain ?

C'était bien notre veine : pour une fois qu'un écrivain venait en classe, voilà qu'il ne pouvait plus écrire ! Il fallait faire quelque chose.

M. Beloiseau a écarté les bras avec

accablement avant de se moucher dans un coin de son écharpe.

– A moins que… il a dit, se frappant tout à coup le front et l'œil pétillant. Oui, pourquoi pas, après tout… Et si vous m'aidiez ? Si on l'écrivait ensemble, l'histoire d'*Évariste et les ouistitis* ?

– Super ! on s'est écriés tous ensemble. Mais comment faire ?

– Rien de plus simple : je reviendrai

une fois par semaine pour travailler avec vous. Si votre maîtresse le veut bien, naturellement…

Il s'est tourné vers elle, cherchant son approbation.

– Bien sûr, elle a dit. Ce serait une idée magnifique !

– Un rat musqué pourrait ronger la corde d'Évariste ! a crié Lucas.

– Non ! Des Pygmées vont scier la branche ! a lancé Jérôme.

— Il deviendra le roi du pays Ouistiti ! a proposé Riton.

En une seconde, ça a été une joyeuse pagaille. Tout le monde voulait donner son idée, et il a fallu que la maîtresse ramène le calme.

— Attendez mardi prochain, a dit M. Beloiseau. Gardez vos idées dans de petites boîtes de conserve, on les ouvrira ce jour-là.

C'était presque l'heure de la récréation déjà. Je ne pensais même plus à la partie de foot que je n'allais pas pouvoir disputer à cause de mes chaussures.

Avant qu'il s'en aille, on a tous voulu que M. Beloiseau dédicace nos livres.

Il s'est mis au bureau de la maîtresse, a sorti son énorme styloplume. C'était difficile à lire, parce qu'il écrivait tout petit, des pattes de mouche toutes serrées.

Sur mon livre, il a écrit :

Pour Rémi,

En attendant que tu deviennes écrivain à ton tour.

Amicalement. Évariste Beloiseau.

Quand mes parents verraient ça, ils seraient fous de fierté. Moi, un écrivain un jour ? Et pourquoi pas, après tout…

Puis M. Beloiseau a fait trois tours de

son cache-nez et il est sorti avec le directeur.

– Tu crois qu'il disait vrai pour les lentilles ? a demandé Lucas.

– Les écrivains ne mentent jamais, a dit Maxime. Ils inventent quelquefois, c'est tout.

Par la fenêtre, j'ai vu M. Beloiseau qui traversait la cour. D'en haut, il paraissait encore plus petit.

Arrivé dans la rue, il a mis des élastiques à ses pantalons et a enfourché le plus vieux vélomoteur que j'aie vu de ma vie.

Il y a eu un gros « pout ! » et le vélomoteur a démarré en pétaradant, avec M. Beloiseau cramponné au guidon.

Je me suis bien gardé de le dire aux autres, ils ne m'auraient pas cru. Mais au moment où il tournait au coin de la rue, je jurerais avoir vu le vélomoteur qui s'envolait comme le vieux vaisseau de Frankfurt…

Est-ce que j'avais rêvé ? Je ne sais pas.

Il faudra que je demande à M. Beloiseau quand il reviendra.

Jean-Philippe Arrou-Vignod est né le 18 septembre 1958 à Bordeaux. Il a vécu successivement à Cherbourg, Toulon, Antibes, avant de se fixer en banlieue parisienne. Après des études à l'École normale supérieure et une agrégation de lettres, il est professeur de français dans un collège. Boulimique de lecture durant toute son enfance, il s'essaie à son tour très tôt à l'écriture et publie son premier roman en 1984 chez Gallimard. Lorsqu'il écrit pour les enfants, il se fie à ses souvenirs, avec le souci constant d'offrir à ses lecteurs des livres qu'il aurait aimé lire à leur âge. Il est notamment l'auteur de la série Enquête au collège et des histoires des Jean-Quelque-Chose (Folio Junior) ainsi que de Rita et Machin, la série d'albums illustrée par Olivier Tallec.

Estelle Meyrand est née à Lyon en 1977. Après des études à l'école de dessin Émile-Cohl à Lyon, elle s'installe à Paris. Elle habite dans un petit studio aux fenêtres fleuries avec ses trois chats. Son talent s'épanouit dans les livres de jeunesse, la bande dessinée, le dessin animé pour lesquels elle utilise l'aquarelle, la gouache et le fusain.